TORIYAMA

DAS MONSTER NUMMER 8

CARLSEN VERLAG

CARLSEN COMICS
Lektorat: Uta Schmid-Burgk, Joachim Kaps, Andreas C. Knigge, Marcel Le Comte
Deutsche Ausgabe/German Edition · © Carlsen Verlag GmbH · Hamburg 1997
Aus dem Japanischen von Junko Iwamoto-Seebeck und Jürgen Seebeck
DRAGON BALL
Copyright © 1987 by Bird Studio · All rights reserved · First published in Japan
in 1987 by SHUEISHA Inc., Tokyo · German translation rights arranged
by SHUEISHA Inc. through Tuttle-Mori Agency Inc.
Redaktion: Joachim Kaps · Lettering: Gerhard Förster
Herstellung: Wiebke Düsedau · Druck und buchbinderische Verarbeitung:
Presse-Druck- und Verlags-GmbH Augsburg
Alle deutschen Rechte vorbehalten
ISBN 3-551-73256-6 (Buchhandelsausgabe)
ISSN 1434-1840 (Presseausgabe)
Printed in Germany

IN DIESEM BAND:

HALLO, LEUTE!

61: Abwehr mit 4 1/2 Matten	6
62: Der Phantombild-Trick	20
63: Monster Nummer 8	34
64: Der schreckliche Buyon	48
65: Buyon am Stiel	62
66: Die Rettung des Bürgermeisters	76
67: Auf nach Westen!	90
68: Die Hauptstadt im Westen	104
69: Bulma und Son-Goku Teil 2	118
70: Bulmas großer Fehler	132
71: Muten-Roshi geht baden	148
72: General Blue greift an	162
Dragon Ball Corner	176

WAS BISHER GESCHAH:

Bulma

Pool

Yamchu

Son-Goku

Oolong

Lila

General White

Muten-Roshi

Nachdem der kleine Son-Goku zusammen mit seinen Freunden Bulma, Oolong, Yamchu und Pool bei der Suche nach den sieben Dragon Balls, mit deren Hilfe sich jeder Wunsch erfüllen lässt, viele spannende Abenteuer erlebt hatte, ließ er sich von dem berühmten Muten-Roshi im Kampf unterrichten und nahm an dem alljährlichen großen Kampfturnier teil, bei dem er einen erstaunlichen zweiten Platz belegte.

Danach machte er sich erneut auf die Suche nach den Dragon Balls, weil eine der Kugeln ein Andenken an seinen verstorbenen Großvater ist. Eine Kugel hat Son-Goku schon wieder gefunden, doch war es nicht die seine. Inzwischen ist er aber auch auf Truppen der finsteren Red Ribbon-Armee getroffen, die ebenfalls nach den Dragon Balls suchen. Die Armee hat den Bürgermeister des Jingle-Dorfes gefangen genommen und hält ihn in ihrem Turm fest. Son-Goku will den alten Mann befreien. Doch dazu muss er nun erst einmal den Ninja Lila überwinden, der den Zugang zur Zelle des Bürgermeisters versperrt...

MACH DEN KLEINEN FER- TIG!

WORAUF WARTEST DU, LILA?!

SOFORT, GENERAL WHITE!

ZU BEFEHL!!!...

NUR ZU!

...MACH ICH ERNST!

ALSO GUT, JETZT...

61: ABWEHR MIT 4½ MATTEN

SON-GOKU IST IN DEN MUS-KELTURM DER RED RIBBON ARMEE EINGEDRUNGEN, IN DEM DER BÜRGERMEISTER DES JINGLE-DORFES GEFANGEN GEHALTEN WIRD. IM DRITTEN STOCK DES TURMS IST ER AUF DEN NINJA LILA GETROFFEN ...

HA! GLAUB ICH NICHT!

DU BIST SO GUT WIE TOT!

...VER- GEHT DIR DAS LACHEN!

SEI NICHT SO ÜBERMÜTIG, DU ROTZNASE! DU WIRST SCHON SEHEN, GLEICH...

HOP!

RRAAH!

ZZZZING

9

10

12

13

14

18

WAS LÄSST DER NINJA SICH WOHL ALS NÄCHSTES EINFALLEN?

62 : DER PHANTOMBILD-TRICK

23

25

26

31

DAHER HAT DIESER BAND ALSO SEINEN TITEL...

HUIIIIHUIIIIHUUIIIII

63: MONSTER NUMMER 8

WÄHREND DRAUSSEN DER SCHNEE-
STURM UM DEN MUSKELTURM
PFEIFT, STAUNT SON-GOKU DRIN-
NEN ÜBER SEINEN NÄCHSTEN
GEGNER, DER DIREKT AUS EINEM
GRUSELFILM ENTSPRUNGEN SEIN
KÖNNTE ...

QUIETSCH

NA LOS,
KOMM
SCHON
RAUS!
MACH
IHN ALLE
!

?!

36

41

45

WELCHEM SCHICKSAL STÜRZEN SON-GOKU UND »ACHTIE« ENTGEGEN...?

64: DER SCHRECK-
LICHE BUYON

WAS FÜR EIN PECH!
KAUM DACHTE SON-
GOKU SICH AM ZIEL,
DA MUSS ER FEST-
STELLEN, DASS MAN
SEINE GEGNER BESSER
NIE UNTERSCHÄTZEN
SOLLTE...

50

55

60

KLAWUMM!

HA !!!

PLOP!

WAS JETZT ?!

PFF

PFF

EINE GUTE FRAGE... WIE SOLL SON-GOKU DAS MONSTER BUYON BESIEGEN, WENN NICHT EINMAL SEINE STÄRKSTE WAFFE IHM ETWAS ANHABEN KANN...?

ES IST EINFACH AN IHM ABGEPRALLT!

DAS GLAUB ICH NICHT...

65: BUYON AM STIEL

WIE ERSTARRT STEHEN SON-GOKU UND »ACHTIE« VOR IHREM WABBELIGEN GEGNER, DER UNBESIEGBAR ZU SEIN SCHEINT...

BLÖÖÖÖÖÖÖRK!

OH WEH... OH WEH...

JETZT WEISS ICH AUCH NICHT WEITER...

DIE KRIEGST DU NUR ÜBER MEINE LEICHE!

VERGISS ES!

NOCH KANNST DU EUCH RETTEN! GIB MIR DEN DRAGON BALL UND DEN RADAR, UND ICH LASSE EUCH AM LEBEN!

HA, HA, HA! WAR DAS SCHON ALLES, KLEINER?!

WACK

ACHTE! TAP TAP!

JA... DANKE!

BIST DU OKAY?

DOMP

SO EINEN WABBELIGEN GEGNER HATTE ICH NOCH NIE...

IRGENDWIE MUSS IHM DOCH BEIZUKOMMEN SEIN!

BLOOORK!

ALSO NOCH MAL!

ABER ICH DARF NICHT AUFGEBEN!

ATTACKE!

FUMP!

YAAAH!

UND WAS DAS HEISST, WISSEN WIR JA...

66 : DIE RETTUNG DES BÜRGERMEISTERS

LASS IHN FREI!

HAST DU GEHÖRT?!

ABER ICH NEHME JETZT KEINE RÜCKSICHT MEHR!

NA GUT!

RISKIER NICHT SO 'NE GROSSE LIPPE!

...ALSO HABE ICH EINE CHANCE!

ER MUSS ERSCHÖPFT SEIN...

NOCH HAST DU MICH NICHT BESIEGT!

NA ALSO!

ICH LASS DIE GEISEL FREI!

OKAY, ICH GEBE AUF!

BIEP!

WARUM NICHT GLEICH SO?

...

WAS?!

DU BIST FREI!

SHHHHH!

84

UND SO GEHT ES ZURÜCK INS JINGLE-DORF...

67: AUF NACH WESTEN!

NACH ALL DEN AUFREGENDEN ABENTEUERN, DIE SON-GOKU IM MUSKELTURM ERLEBT HAT, WIRKT DIE RUHE, DIE ÜBER DEM JINGLE-DORF LIEGT, DOPPELT SO FRIEDLICH. NUR EIN GERÄUSCH DURCHBRICHT DIE STILLE...

SCHMATZ! MAMPF! SCHMATZ! MAMPF!

SCHLÜRF!

MAMPF! SCHMATZ!

WOW!

JA!

NA, NOCH NACHSCHLAG?

90

91

SAG MAL, WILLST DU NICHT BEI UNS IM DORF BLEIBEN ?!

HÄ ?!

DU GE-FÄLLST MIR !!!

BRAVO !!

DU KÖNNTEST BEI MIR WOHNEN! MEINE FRAU HAT SICHER NICHTS DAGEGEN!

JA, DU!

ICH...?

JA, UND? DAS IST DOCH GANZ EGAL! DU HAST EIN GUTES HERZ, DARAUF KOMMT ES AN!

ABER... ICH BIN DOCH EIN MONSTER.

ALSO ABGEMACHT?

DAS IST DOCH EINE PRIMA IDEE, ODER, ACHTIE?

95

IST DAS DA DER RADAR, DEN GENERAL WHITE HABEN WOLLTE?

GUT, DANN NEHM ICH SIE MIT.

KLICK KLICK KLICK KLICK

HUCH?!

PASS AUF! WENN MAN HIER DRÜCKT...

KLICK

JA!

BESTIMMT HAT ER BEI DEN KÄMPFEN WAS ABBEKOMMEN...

GIB MAL HER! MIT MASCHINEN KENN ICH MICH AUS...

ER IST KAPUTT...

WAS IST DENN?

96

WSSSSSSMMMMMMMMMMM!

WIR HABEN DIE KALTE GEGEND SCHON HINTER UNS!

TOLLES TEMPO, JINDUJUN!

BULMA... ICH KOMME!!

SO HAT SON-GOKU ALSO EIN WEITERES ABENTEUER ERFOLGREICH HINTER SICH GEBRACHT. HOFFENTLICH FINDET ER NUN AUCH BULMA IN DER HAUPTSTADT, DAMIT SIE DEN RADAR REPARIEREN KANN...

108

ICH ERLASSE DIR SOGAR DAS START-GELD VON 10.000 GROSCHEN!

DOCH, DOCH... ALSO, MEINET-WEGEN!

HA HA HA HA HA

DÜRFEN KLEINE DAS GELD NICHT GEWIN-NEN?

WEIL DU SO KLEIN BIST!

HAHAHAHAHA!!

DANKE! DAFÜR TU ICH DIR AUCH NICHT RICHTIG WEH!

HA!!!

WUPPP!!

OKAY!!

GUT, LASS UNS AN-FANGEN!

112

116

OB SON-GOKUS FREUNDIN AUCH ZU HAUSE IST...?

ICH BIN'S, SON-GOKU!

HALLO! BULMA!

DAS BEEINDRUCKENDE GEBÄUDE DER »CAPSULE CORP.«, IN DEM DIE HOIPOI-KAPSELN HERGESTELLT WERDEN...

CAPSULE CORP.

JA, ABER SIE IST NOCH IN DER SCHULE ...

HÖREN SIE, HIER WOHNT DOCH EINE BULMA, NICHT WAHR?

DAS DING SPRICHT!

WAS IST DAS?

DU BRAUCHST NICHT SO ZU SCHREIEN. SPRICH EINFACH HIER REIN!

...OB DU SIE AUCH WIRKLICH KENNST!

ICH WARTE AUCH, UM ZU SEHEN ...

CAPSULE CORP.

JA, DAS MACH ICH!

WILLST DU HIER AUF SIE WARTEN, BIS DIE SCHULE AUS IST?

POLICE

118

120

JA, MEIN VATER LIEBT TIERE ÜBER ALLES...

HIER GIBT'S ABER VIELE TIERE...

RUF BITTE MEINEN VATER HER!

SEHR WOHL!

WAS GIBT'S DENN, BULMA?

DA KOMMT ER!

DU BIST ALSO SON-GOKU? FÜR EINEN ZWÖLFJÄHRIGEN BIST DU ABER GANZ SCHÖN GROSS, MEIN JUNGE!

ÄH... NEIN... ICH BIN... ÄH...

ACH... ?

ICH HABE BESUCH! DAS IST SON-GO-KU!

WEIT ENTFERNT...

KOMMANDANT RED, GENERAL WHITE HAT UNS EIN BILD VON IHM GESCHICKT!

AH!

DA IST DOCH GAR KEIN DRAGON BALL!

TJA...

WAS WILL ER IN DER HAUPTSTADT?!

OH!

WAS?! DIESER KNIRPS HAT SILVER UND WHITE ERLEDIGT UND IHNEN DIE DRAGON BALLS ABGENOMMEN?!

...ROTZLÖFFEL!

SO EIN...

ZU BEFEHL!

SCHICKT DAS FOTO AN ALLE EINHEITEN! SIE SOLLEN DEN KLEINEN FINDEN UND TÖTEN!

ER HAT ES BESTIMMT AUF EINE DER VIER KUGELN ABGESEHEN, NACH DENEN WIR NOCH SUCHEN!

ER SOLL EINEN BESSEREN RADAR HABEN...

...UND TROTZDEM FINDET ER SIE VOR UNS ...WIESO?

VERDAMMT! WIR HABEN ALLE KRÄFTE MOBILISIERT, UM DIE KUGELN ZU FINDEN...

DANKE!

OKAY! ES GEHT WIEDER!

SO... DAS MÜSSTE ES SEIN!

126

128

129

HE! WENN IHR SIE ALLE ZUSAMMENHABT, KÖNNTEST DU DIR EIN HÜBSCHES MÄDCHEN FÜR MICH WÜNSCHEN?

NEIN! NEIN! UND NOCH MAL NEIN!

DAS IST DA, ODER?!

ALSO, ZUERST ETWA 8000 KILOMETER NACH SÜDOSTEN!

??

HÄ?!

DANN SCHRUMPF ICH MAL!

WSSSM

JIN-DU-JUN!

MANN, IST DAS WEIT ... DA IST SCHON DAS MEER!

BALD SIND WIR DA!

GÄHN...

HOFFENTLICH IST ES DIE RICHTIGE KUGEL...

WWSSSMM!

DERWEIL, ANDERNORTS...

70 : BULMAS GROSSER FEHLER

SELBST FÜR JUNDUJUN SIND 8000 KILOMETER EINE GROSSE ENTFERNUNG. UND SO SIND BULMA UND SON-GOKU SCHON LÄNGER UNTERWEGS.

ABER WIESO IST ER SO SCHNELL...?

SIEHT AUS, ALS HABE DER JUNGE ES AUF DEN DRAGON BALL IN GENERAL BLUES GEBIET ABGESEHEN...

ZU BEFEHL!

HAT GENERAL BLUE DAS FOTO SCHON?! ER SOLL IHN BESEITIGEN, SOBALD ER IHN ENTDECKT HAT!

KOMMANDANT RED IST SCHON STINKSAUER!

IHR HABT IHN IMMER NOCH NICHT GEFUNDEN?!

DAS LAGER DER BLAUEN TRUPPE...

SIE IST BEWOHNT, DA LIEGT EIN SCHIFF!

ER MUSS VERSUNKEN SEIN ...

LASS UNS DA DRÜBEN AUF DER INSEL LANDEN.

ICH TAUCHE NACH DEM DRAGON BALL!

UND NUN?

CPFF!

PLOP!

ICH HAB EINE U-BOOT-KAPSEL DABEI!

ZUM GLÜCK BIN ICH JA DA!

NEIN, DAS MUSST DU NICHT TUN!

139

BULMA! DAS MEER IST VIEL ZU TIEF!
SO LANG KANN ICH DIE LUFT NICHT ANHALTEN!
HUCH?
WO IST SIE DENN?
WENN ES HIER MENSCHEN GIBT...
...HABEN SIE VIELLEICHT AUCH KAPSELN!
RROOOAARR
NANU?
DA KOMMT WER...
HALLO!
HIERHER!!

144

COOL!

BOMM! BAMM!

HOP!

...UND DER HAT DOCH BESTIMMT EINE U-BOOT-KAPSEL!

VON HIER IST ES NICHT WEIT BIS ZU MUTEN-ROSHIS INSEL...

WIESO? WAR MAL WAS ANDE-RES...

FINDEST DU NICHT, DAS WAR JETZT ETWAS ÜBERTRIE-BEN?

OKAY, SCHRUMPF DICH KLEIN!

HM... KÖNNTE SEIN...

LASS UNS HIN-FLIEGEN...

UND SCHON SIND DIE BEIDEN UNTERWEGS...

71: MUTEN-ROSHI GEHT BADEN

SCHNELL WIE EIN PFEIL SAUST
JINDUJUN DURCH DIE LÜFTE
AUF MUTEN-ROSHIS
    INSEL ZU...

WIR SIND SCHON DA!

HEY!

HOFFENT-LICH WILL ER NICHT WIEDER »PAFF-PAFF« MACHEN...*

WSSSMMM

* SIEHE BAND 2 : » DER MEISTER DES KAMEHAME-HA «

148

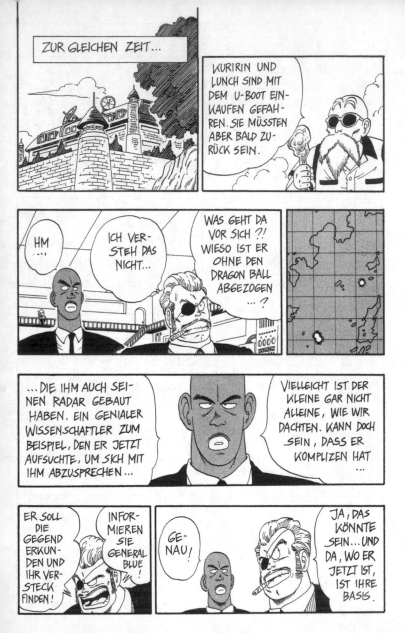

ZUR GLEICHEN ZEIT...

KURIRIN UND LUNCH SIND MIT DEM U-BOOT EINKAUFEN GEFAHREN. SIE MÜSSTEN ABER BALD ZURÜCK SEIN.

HM ...

ICH VERSTEH DAS NICHT...

WAS GEHT DA VOR SICH ?! WIESO IST ER OHNE DEN DRAGON BALL ABGEZOGEN ...?

...DIE IHM AUCH SEINEN RADAR GEBAUT HABEN. EIN GENIALER WISSENSCHAFTLER ZUM BEISPIEL, DEN ER JETZT AUFSUCHTE, UM SICH MIT IHM ABZUSPRECHEN ...

VIELLEICHT IST DER KLEINE GAR NICHT ALLEINE, WIE WIR DACHTEN. KANN DOCH SEIN, DASS ER KOMPLIZEN HAT ...

ER SOLL DIE GEGEND ERKUNDEN UND IHR VERSTECK FINDEN!

INFORMIEREN SIE GENERAL BLUE!

GENAU!

JA, DAS KÖNNTE SEIN...UND DA, WO ER JETZT IST, IST IHRE BASIS.

153

155

156

RRRRRRR

JA, DAS SIND DIE BEIDEN... NA, ENDLICH!

WIE GEHT'S EUCH?

HALLO! HI, HI!

HEY! SON-GOKU!

OH,

HEY! EIN TOLLES GERÄT!

JA...TUT MIR LEID...

???

LUNCH HAT SICH MAL WIEDER VERWANDELT UND 'NE MENGE CHAOS ANGERICHTET.*

IHR SEID SPÄT DRAN...

BULMA, NICHT BLUNA! BULMA!!!

HALLO! DU BIST DOCH BLUNA, ODER?

...WAS FÜHRT DICH DENN HER?

SAG MAL, SON-GOKU...

* SIEHE BAND 3 »KAMESENNINS KAMPFSCHULE«

159

WUSSCHHHHH!

FINDEN SIE RAUS, WO ES HERKAM!

DORT MUSS IHRE BASIS SEIN!

GENERAL BLUE! ICH HABE EIN FLUGZEUG ENTDECKT! ES FLIEGT ...

DIREKT IN IHRE RICHTUNG!

JA!

SONST IRGENDWAS ZU SEHEN?!

MIT EINEM HAUS DARAUF! DAS MUSS SIE SEIN! KOORDINATEN ESA-7024!

DA UNTEN IST EINE INSEL!

EIN GREIS ...

HM ... DAS MUSS DER ERFINDER DES RADARS SEIN ...

BITTE?

LUNCH, MUSST DU NICHT MAL AUFS KLO?

EINE JUNGE FRAU, EINE SCHILDKRÖTE UND EIN GREIS! SONST NICHTS AUFFÄLLIGES ...

?

WELCHEN TEUFLISCHEN PLAN HECKT GENERAL BLUE DA GERADE AUS ... ?

ENDE UND AUS!

VER-STANDEN! ICH GEBE BESCHEID!

HÄ, HÄ, HÄ... ER IST ES!

UND SIE SIND NUR ZU DRITT...

GENERAL BLUE! DAS HAUPTQUARTIER ORTET DIE BEIDEN DRAGON BALLS NOCH IMMER AUF DER INSEL!

WIR TEILEN UNS IN ZWEI GRUPPEN AUF! GRUPPE A UNTER MEINEM KOMMANDO KÜMMERT SICH UM DEN JUNGEN! UND GRUPPE B UNTER IHREM KOMMANDO GREIFT DIE GEGNERISCHE BASIS AN! VER-STANDEN?!

JA-WOHL!

ICH HATTE ALSO RECHT! DIESE INSEL IST IHRE BASIS... JETZT SIND SIE ERLEDIGT!

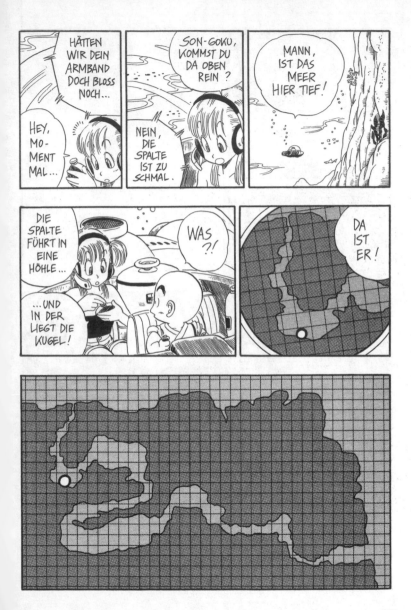

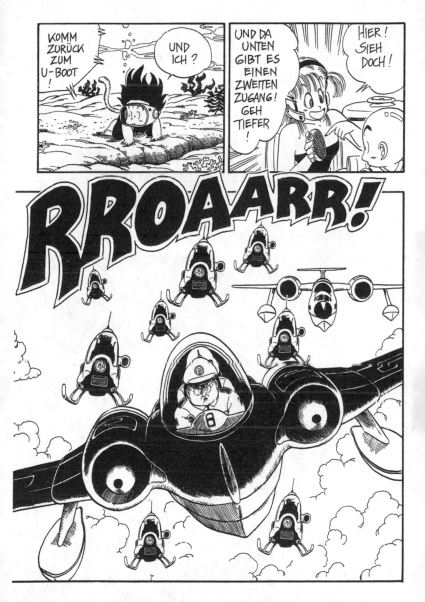

...UND SIE FANGEN DAUERND STREIT MIT MIR AN.

SIE SUCHEN AUCH DIE DRAGON BALLS...

DU KENNST DIE...?

MEINST DU ETWA *DIE* RED RIBBON-ARMEE ?!

WIR HABEN DIE ÜBELSTE ARMEE DER GANZEN WELT AUF DEN FERSEN!

NA, TOLL !!!

LASST UNS ABHAUEN! IN DIE HÖHLE, LOS!

BLÜB

DA! SIE FEUERN SCHON WIEDER!

82

ZOSCHHHH!

174

WEITER GEHT'S IN BAND 7: » DAS LABYRINTH DER FALLEN « !

LL CORNER ★

rund um Son-Gokus Welt

Natürlich werden wir aber auch weiterhin jeden Brief beantworten, der uns erreicht - ganz gleich, ob er in der »Corner« abgedruckt wird oder nicht. Bleibt also am Ball, und haltet uns mit eurer Meinung zu »Dragon Ball« auf dem Laufenden. Und schickt uns auch weiterhin eure eigenen Meisterwerke zu. Wir freuen uns über jeden Brief, der uns erreicht. Unsere Adresse: Carlsen Verlag, »Dragon Ball Corner«, Postfach 500380, 22765 Hamburg.

Die Verfilmungen haben die Welt von »Dragon Ball« nicht nur um neue Helden, sondern auch um einen weiteren nicht unwichtigen Aspekt erweitert: die Farbe. Da Comics im Japan von ganz wenigen Ausnahmen abgesehen ausschließlich in Schwarzweiß erscheinen, waren Son-Goku, seine Mitstreiter und Gegner den Lesern zuvor praktisch nur durch die Titelbilder der Magazine und Bücher in Farbe bekannt geworden, auf denen die Kolorierung noch nicht einheitlich gehalten war. Dass etwa Son-Gokus Anzug in jenem Orange leuchtet, das wir heute kennen, wurde erst bei der Produktion der Filme endgültig festgelegt und später bei allen nachfolgenden Produkten beibehalten.

Auf Umwegen kamen die Farben inzwischen übrigens auch wieder in die Welt der Comics zurück. Mit Bildern aus den ersten beiden Fernsehserien, in die man Sprechblasen einmontiert hat, wurde nach der Einstellung von »Dragon Ball« vor kurzem nämlich eine »Dragon Ball Z«-Comic-Serie geschaffen, die die bekannten Ereignisse noch einmal in dieser neuen Form nacherzählt.

Fortsetzung in Band 7.

DRAGON B[A]

Infos, News & Leserbriefe

WOW! Dass »Dragon Ball« eine der coolsten Comic-Serien aller Zeiten ist, wussten wir ja schon. Dass sie auch die coolsten Leser aller Zeiten hat, wissen wir jetzt! Eine wahre Flut netter Briefe und toller Zeichnungen ist seit dem deutschen Start der Serie über uns hereingebrochen. Viel zu viele, um sie alle in der »Dragon Ball Corner« abdrucken zu können, aber eine erste Auswahl stellen wir euch auf den folgenden Seiten vor.

Ein Comic erobert die Welt:

DIE »DRAGON BALL«-STORY (Teil 6)

Mit der Umsetzung von »Dragon Ball« als Fernsehserie wurde ein neuer Abschnitt in der Erfolgsgeschichte von Son-Goku und seinen Weggefährten eingeleitet. Vor allem die Storys der neuen Ausprägung, die in der TV-Fassung als »Dragon Ball Z« bekannt wurden, sorgten dafür, dass »Dragon Ball« nun auch in allen anderen Medienbereichen zum Hit wurde.

So entstanden neben der Fernsehserie zwischen 1986 und 1988 unter anderem drei »Dragon Ball«- und zwischen 1989 und 1995 dreizehn »Dragon Ball Z«-Videofilme. Außerdem wurden für das Fernsehen noch zwei »Dragon Ball Z«-Specials realisiert. Im Gegensatz zur Fernsehserie erzählen die Videofilme Storys, die über die Handlung des Comics hinausgehen. Da sie auch neue Figuren einführen und sich nicht immer an die Abläufe der ursprünglichen Serie halten, könnte man sagen, sie spielen in einer Parallelwelt zum ursprünglichem »Dragon Ball«-Universum.

Goku und seine Freunde es ja aber bei ihren Abenteuern viel bunter als die Helden mancher farbigen Comic-Serie. Und das ist schließlich die Hauptsache für den Spaß!

Hallo »Dragon Ball Corner«! Ich heiße Son-Goku, bin vierzehn Jahre alt und habe Hunger. Nein, jetzt mal Spaß beiseite: ich heiße Fernando und bin zwölf. Als ich »Dragon Ball« sah, habe ich den Comic sofort gekauft. Jetzt hätte ich noch ein paar Fragen: 1.) Werden die Bilder auch mal in Farbe gedruckt oder wird er so bleiben wie jetzt? 2.) Werden die Briefe auch im Comic abgedruckt und beantwortet? 3.) Wird es »Dragon Ball« auch im Fernsehen geben? Wenn ja, ab wann und in welchem Programm? Und keine Sorge: Auch wenn »Dragon Ball« im Fernsehen läuft, werde ich trotzdem auch weiter die Comics kaufen, ich bin eine Leseratte. Tschüss und bis zum nächsten Mal,
  Fernando Terreira de Matos (12),
    Aachen

Lieber Son-Goku (War auch nur Spaß...)! Lieber Fernando, dass »Dragon Ball« auch im Original schwarzweiß erscheint, hast Du ja nun schon in der Antwort an Hermann gelesen. Aber es gibt inzwischen auch die farbige Serie »Dragon Ball Z«, von der wir diesmal in der »Dragon Ball- Story« berichten. Wenn uns genügend Anfragen nach dieser Serie erreichen, werden wir uns darum bemühen, auch sie herausgeben zu können. Mal sehen, was die anderen Leser meinen... Wir können leider nicht alle Briefe abdrucken, aber beantwortet wird garantiert jedes Schreiben, das uns erreicht. An der TV-Serie sind verschiedene Sendeanstalten sehr interessiert, weil sie in allen anderen europäischen Ländern einen enormen Erfolg hat. Wo und wann sie wirklich zur Ausstrahlung kommt, steht aber im Moment noch nicht fest. Aber wir halten Euch natürlich auf dem Laufenden!*

Nico Rücker, Frankfurt

Hallo Carlsen Verlag!
Mir gefallen Eure »Dragon Ball«-Bücher supergut. Vor allem die Idee, die Comics so zu drucken, dass man sie von hinten nach vorne und von rechts nach links lesen muss, ist genial. Nun habe ich noch zwei Fragen: 1.) Wie viele Seiten »Dragon Ball« hat Akira Toriyama bisher gezeichnet? 2.) Habt Ihr vor, alle japanischen Bücher auf Deutsch zu veröffentlichen? Viel Erfolg und alles Gute für die Zukunft,
Markus Bauer (17), München

Lieber Markus, Akira Toriyama hat für die 42 Bände, die es von »Dragon Ball« gibt, fast 8000 Comic-Seiten gezeichnet. Und natürlich werden wir die auch alle veröffentlichen. Es ist also noch für reichlich Lektüre gesorgt!

Hi!
Ich bin 12 Jahre alt und gehe zur Realschule. »Dragon Ball« ist einfach supergeil und der erste Comic, über den ich mich schrottgelacht habe. Ich habe allein eine halbe Stunde über eine Stelle gelacht, die ich mir immer wieder ansehen musste. Aber ein bisschen zu teuer ist »Dragon Ball« schon. Warum eigentlich? Noch eine Frage zum Schluss: Warum ist der Comic schwarzweiß? Auf Wiederlesen
Hermann Geisler (12), Bad Salzuflen

Lieber Hermann, schön, daß Du so viel Spaß an »Dragon Ball« hast. Und wenn Du bedenkst, dass die meisten Comic-Hefte am Kiosk zwischen 4,- und 5,- DM kosten, ist bei »Dragon Ball« der doppelte Preis für die vierfache Menge an Seiten doch eigentlich ziemlich günstig, oder? In Japan erscheinen fast alle Comics in Schwarzweiß, da macht »Dragon Ball« keine Ausnahme. Dafür treiben Son-

Alexander Scola, Stadtbergen

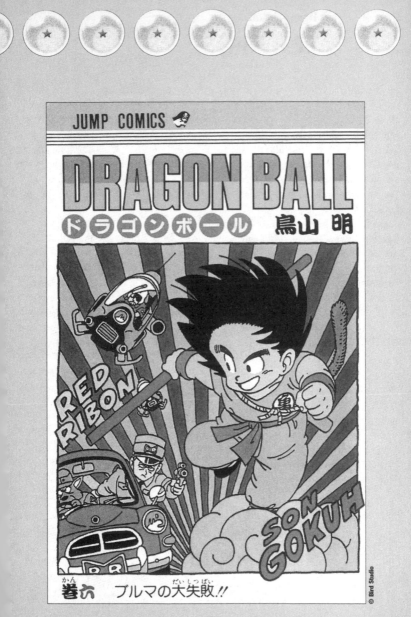

gemeinsamen Flucht scheitert, und Hugo kommt ums Leben. Daraufhin beginnt Alita ein neues Leben als Profi im Motorball, einer grausamen Sportart, bei der die Akteure ständig ihr Leben aufs Spiel setzen.

Neben den actiongeladenen Zeichnungen und der rasanten Handlungsführung bestechen an dieser Serie vor allem die stimmungsvolle Ausgestaltung der düsteren Schauplätze und die schrillen Figuren, mit denen Yukito Kishiro seiner Welt Leben eingehaucht hat. »Battle Angel Alita« wurde übrigens auch als Trickfilmserie umgesetzt, die in englisch synchronisierter Fassung hier zu Lande über den spezialisierten Fachhandel als Kaufvideo erhältlich ist.

Yukito Kishiro: Battle Angel Alita. Carlsen Verlag, Hamburg.
zwischen 104 und 144 S., sw., je DM 24.90

Band 1: Engel ohne Erinnerung   Band 6: Jashugans Geheimnis
Band 2: Makakus Untergang   Band 7: Die Stunde der Rache
Band 3: Hugos Traum   Band 8: Desty Novas Labor
Band 4: Die Arena der Cyborgs   Band 9: Lamm und Löwe
Band 5: Kampf um Leben und Tod   Weitere Bände in Vorbereitung

In jeder guten Buchhandlung erhältlich!

Comic-Tip:
BATTLE ANGEL ALITA

In der nächsten Ausgabe von »Dragon Ball« hat eine Figur aus Akira Toriyamas früher Erfolgsserie »Dr. Slump« einen kleinen Gastauftritt: die Roboterfrau Arale. So wie sie wurde auch eine andere Heldin des japanischen Comics von einem Wissenschaftler aus Elektronik, Metall und Plastik zusammengebaut: Battle Angel Alita. Seit Mitte 1996 erscheinen ihre Abenteuer auch in einer deutschsprachigen Ausgabe.

In einer fernen Zukunft findet der Mechaniker Daisuke Ido eines Tages auf dem Schrottplatz unter der Himmelsstadt Zalem die Überreste eines weiblichen Cyborgs. Dessen Körper ist zwar völlig zerstört, doch scheint sein »Gehirn« noch funktionstüchtig zu sein. Ido nimmt die Bauteile in seine heimische Werkstatt mit und entwirft dort einen neuen mechanischen Körper, in den er das Gehirn einbaut. Seiner Schöpfung gibt er den Namen Alita.

An ihr früheres Leben kann Alita sich zunächst kaum erinnern. Doch nach und nach kehren Bruchstücke ihres Gedächtnisses zurück. Als Ido, der sich einen Teil seines Lebensunterhalts als Hunter-Warrior verdient, bei einer Verfolgung in eine brenzlige Situation gerät, entdeckt sie eines ihrer erstaunlichsten Geheimnisse: sie beherrscht die alte »Panzerkunst«-Kampftechnik, die sie zum Battle Angel machen.

Auf der Suche nach ihrer Vergangenheit lernt Alita schließlich auch den jungen Mechaniker Hugo kennen, in den sie sich verliebt. Hugo träumt davon, die zu einer einzigen Müllhalde verkommene Erde zu verlassen und ein neues Leben in Zalem zu beginnen. Doch der Versuch ihre

© Yukito Kishiro

HALT!

Dieser Comic beginnt nicht, wie man an sich erwarten würde, auf dieser Seite! DRAGON BALL ist nämlich eine japanische Serie, und in Japan wird von »hinten« nach »vorn« und von rechts nach links gelesen. Wir haben uns dazu entschlossen, Akira Toriyamas Geschichte über die Suche nach den geheimnisvollen Drachenkugeln auch in Deutschland so vorzulegen, wie sie ursprünglich in Japan erschienen ist. Man muss dieses Buch also »hinten« aufschlagen und Seite für Seite nach »vorn« weiterblättern. Auch die Bilder auf jeder Seite und die Sprechblasen innerhalb der Bilder werden von rechts oben nach links unten gelesen - so wie in der Grafik links gezeigt.

Wer's ausprobiert, merkt schnell, dass das gar nicht so schwer ist, wie es auf den ersten Blick aussieht, stattdessen sogar großen Spaß macht. In diesem Sinne: Viel Vergnügen mit Son-Gokus Abenteuern!